개역개정판/

series 4

승리 안에서 행함

THE NAVIGATORS

1. 승리

1) 그리스도 안에 있는 승리	고전 15:57	고후 2:14
2) 승리의 무기	고후 10:4-5	엡 6:10-11
3) 마귀를 이김	계 12:11	약 4:7-8
4) 육신을 이김	롬 8:5-6	롬 13:14
5) 세상을 이김	요일 4:4	요일 5:4-5
6) 죄를 이김	시 37:31	롬 6:12-13

2. 순결

1) 생각	빌 4:8	딛 1:15
2) 마음	눅 6:45	잠 4:23
3) 눈	마 6:22	마 5:28
4) 몸	살전 4:3	고전 6:13
5) 말	엡 4:29	마 12:36-37
6) 행동	살전 5:22	딤전 5:1-2

그리스도 안에 있는 승리

고린도전서 15:57
우리 주 예수 그리스도로 말미암아 우리에게 승리를 주시는 하나님께 감사하노니
고린도전서 15:57

1 승리

Victory in Christ

1 Corinthians 15:57

But thanks be to God! He gives us the victory through our Lord Jesus Christ.

1 Corinthians 15:57

그리스도 안에 있는 승리

고린도후서 2:14
항상 우리를 그리스도 안에서 이기게 하시고 우리로 말미암아 각처에서 그리스도를 아는 냄새를 나타내시는 하나님께 감사하노라.

고린도후서 2:14

Victory in Christ

2 Corinthians 2:14

But thanks be to God, who always leads us in triumphal procession in Christ and through us spreads everywhere the fragrance of the knowledge of Him.

2 Corinthians 2:14

승리의 무기

고린도후서 10:4-5

우리의 싸우는 무기는 육신에 속한 것이 아니요 오직 어떤 견고한 진도 무너뜨리는 하나님의 능력이라. 모든 이론을 무너뜨리며 하나님 아는 것을 대적하여 높아진 것을 다 무너뜨리고 모든 생각을 사로잡아 그리스도에게 복종하게 하니

고린도후서 10:4-5

Weapons for Victory

2 Corinthians 10:4-5

The weapons we fight with are not the weapons of the world. On the contrary, they have divine power to demolish strongholds. We demolish arguments and every pretension that sets itself up against the knowledge of God, and we take captive every thought to make it obedient to Christ.

2 Corinthians 10:4-5

승리의 무기

에베소서 6:10-11

끝으로 너희가 주 안에서와 그 힘의 능력으로 강건하여지고 마귀의 간계를 능히 대적하기 위하여 하나님의 전신 갑주를 입으라.

에베소서 6:10-11

Weapons for Victory

Ephesians 6:10-11

Finally, be strong in the Lord and in His mighty power. Put on the full armor of God so that you can take your stand against the devil's schemes.

Ephesians 6:10-11

마귀를 이김

요한계시록 12:11
또 우리 형제들이 어린양의 피와 자기들이 증언하는 말씀으로써 그를 이겼으니 그들은 죽기까지 자기들의 생명을 아끼지 아니하였도다.
요한계시록 12:11

Overcoming the Devil

Revelation 12:11

They overcame him by the blood of the Lamb and by the word of their testimony; they did not love their lives so much as to shrink from death.

Revelation 12:11

마귀를 이김

야고보서 4:7-8
그런즉 너희는 하나님께 복종할지어다. 마귀를 대적하라. 그리하면 너희를 피하리라. 하나님을 가까이하라. 그리하면 너희를 가까이하시리라. 죄인들아 손을 깨끗이 하라. 두마음을 품은 자들아 마음을 성결하게 하라.

야고보서 4:7-8

Overcoming the Devil

James 4:7-8

Submit yourselves, then, to God. Resist the devil, and he will flee from you. Come near to God and He will come near to you. Wash your hands, you sinners, and purify your hearts, you double-minded.

James 4:7-8

육신을 이김

로마서 8:5-6
육신을 따르는 자는 육신의 일을, 영을 따르는 자는 영의 일을 생각하나니 육신의 생각은 사망이요 영의 생각은 생명과 평안이니라.

로마서 8:5-6

Overcoming the Flesh

Romans 8:5-6

Those who live according to the sinful nature have their minds set on what that nature desires; but those who live in accordance with the Spirit have their minds set on what the Spirit desires. The mind of sinful man is death, but the mind controlled by the Spirit is life and peace.

Romans 8:5-6

육신을 이김

로마서 13:14
오직 주 예수 그리스도로 옷 입고 정욕을 위하여 육신의 일을 도모하지 말라.

로마서 13:14

Overcoming the Flesh

Romans 13:14

Rather, clothe yourselves with the Lord Jesus Christ, and do not think about how to gratify the desires of the sinful nature.

Romans 13:14

세상을 이김

요한일서 4:4
자녀들아 너희는 하나님께 속하였고 또 그들을 이기었나니 이는 너희 안에 계신 이가 세상에 있는 자보다 크심이라.

요한일서 4:4

Overcoming the World

1 John 4:4

You, dear children, are from God and have overcome them, because the One who is in you is greater than the one who is in the world.

1 John 4:4

세상을 이김

요한일서 5:4-5

무릇 하나님께로부터 난 자마다 세상을 이기느니라. 세상을 이기는 승리는 이것이니 우리의 믿음이니라. 예수께서 하나님의 아들이심을 믿는 자가 아니면 세상을 이기는 자가 누구냐.

요한일서 5:4-5

Overcoming the World

1 John 5:4-5

For everyone born of God overcomes the world. This is the victory that has overcome the world, even our faith. Who is it that overcomes the world? Only he who believes that Jesus is the Son of God.

1 John 5:4-5

죄를 이김

시편 37:31
그의 마음에는 하나님의 법이 있으니 그의 걸음은 실족함이 없으리로다.

시편 37:31

Overcoming Sin

Psalm 37:31
The law of his God is in his heart; his feet do not slip.

Psalm 37:31

죄를 이김

로마서 6:12-13
그러므로 너희는 죄가 너희 죽을 몸을 지배하지 못하게 하여 몸의 사욕에 순종하지 말고 또한 너희 지체를 불의의 무기로 죄에게 내주지 말고 오직 너희 자신을 죽은 자 가운데서 다시 살아난 자같이 하나님께 드리며 너희 지체를 의의 무기로 하나님께 드리라.

로마서 6:12-13

Overcoming Sin

Romans 6:12-13

Therefore do not let sin reign in your mortal body so that you obey its evil desires. Do not offer the parts of your body to sin, as instruments of wickedness, but rather offer yourselves to God, as those who have been brought from death to life; and offer the parts of your body to Him as instruments of righteousness.

Romans 6:12-13

생각

빌립보서 4:8
끝으로 형제들아 무엇에든지 참되며 무엇에든지 경건하며 무엇에든지 옳으며 무엇에든지 정결하며 무엇에든지 사랑받을 만하며 무엇에든지 칭찬받을 만하며 무슨 덕이 있든지 무슨 기림이 있든지 이것들을 생각하라.

빌립보서 4:8

Thought

Philippians 4:8

Finally, brothers, whatever is true, whatever is noble, whatever is right, whatever is pure, whatever is lovely, whatever is admirable – if anything is excellent or praiseworthy – think about such things.

Philippians 4:8

생각

디도서 1:15

깨끗한 자들에게는 모든 것이 깨끗하나 더럽고 믿지 아니하는 자들에게는 아무것도 깨끗한 것이 없고 오직 그들의 마음과 양심이 더러운지라.

디도서 1:15

Thought

Titus 1:15

To the pure, all things are pure, but to those who are corrupted and do not believe, nothing is pure. In fact, both their minds and consciences are corrupted.

Titus 1:15

마음

누가복음 6:45

선한 사람은 마음의 쌓은 선에서 선을 내고 악한 자는 그 쌓은 악에서 악을 내나니 이는 마음에 가득한 것을 입으로 말함이니라.

누가복음 6:45

Heart

Luke 6:45

The good man brings good things out of the good stored up in his heart, and the evil man brings evil things out of the evil stored up in his heart. For out of the overflow of his heart his mouth speaks.

Luke 6:45

마음

잠언 4:23

모든 지킬 만한 것 중에 더욱 네 마음을 지키라. 생명의 근원이 이에서 남이니라.

잠언 4:23

Heart

Proverbs 4:23

Above all else, guard your heart, for it is the wellspring of life.

Proverbs 4:23

눈

마태복음 6:22
눈은 몸의 등불이니 그러므로 네 눈이 성하면 온 몸이 밝을 것이요

마태복음 6:22

Sight

Matthew 6:22
The eye is the lamp of the body. If your eyes are good, your whole body will be full of light.

Matthew 6:22

눈

마태복음 5:28

나는 너희에게 이르노니 음욕을 품고 여자를 보는 자마다 마음에 이미 간음하였느니라.

마태복음 5:28

Sight

Matthew 5:28

But I tell you that anyone who looks at a woman lustfully has already committed adultery with her in his heart.

Matthew 5:28

몸

데살로니가전서 4:3
하나님의 뜻은 이것이니 너희의 거룩함이라. 곧 음란을 버리고

데살로니가전서 4:3

Body

1 Thessalonians 4:3
It is God's will that you should be sanctified: that you should avoid sexual immorality.

1 Thessalonians 4:3

몸

고린도전서 6:13
음식은 배를 위하여 있고 배는 음식을 위하여 있으나 하나님은 이것저것을 다 폐하시리라. 몸은 음란을 위하여 있지 않고 오직 주를 위하여 있으며 주는 몸을 위하여 계시느니라.

고린도전서 6:13

Body

1 Corinthians 6:13
"Food for the stomach and the stomach for food"–but God will destroy them both. The body is not meant for sexual immorality, but for the Lord, and the Lord for the body.

1 Corinthians 6:13

말

에베소서 4:29
무릇 더러운 말은 너희 입 밖에도 내지 말고 오직 덕을 세우는 데 소용되는 대로 선한 말을 하여 듣는 자들에게 은혜를 끼치게 하라.

에베소서 4:29

Speech

Ephesians 4:29

Do not let any unwholesome talk come out of your mouths, but only what is helpful for building others up according to their needs, that it may benefit those who listen.

Ephesians 4:29

말

마태복음 12:36-37
내가 너희에게 이르노니 사람이 무슨 무익한 말을 하든지 심판 날에 이에 대하여 심문을 받으리니 네 말로 의롭다 함을 받고 네 말로 정죄함을 받으리라.

마태복음 12:36-37

Speech

Matthew 12:36-37

But I tell you that men will have to give account on the day of judgment for every careless word they have spoken. For by your words you will be acquitted, and by your words you will be condemned.

Matthew 12:36-37

행동

데살로니가전서 5:22
악은 어떤 모양이라도 버리라.
데살로니가전서 5:22

Actions

1 Thessalonians 5:22

Avoid every kind of evil.

1 Thessalonians 5:22

행동

디모데전서 5:1-2
늙은이를 꾸짖지 말고 권하되 아버지에게 하듯 하며 젊은이에게는 형제에게 하듯 하고 늙은 여자에게는 어머니에게 하듯 하며 젊은 여자에게는 온전히 깨끗함으로 자매에게 하듯 하라.

디모데전서 5:1-2

Actions

1 Timothy 5:1-2
Do not rebuke an older man harshly, but exhort him as if he were your father. Treat younger men as brothers, older women as mothers, and younger women as sisters, with absolute purity.

1 Timothy 5:1-2

구하고 행하라

마태복음 21:22
너희가 기도할 때에 무엇이든지 믿고 구하는 것은 다 받으리라 하시니라.

마태복음 21:22

Ask

Matthew 21:22

If you believe, you will receive whatever you ask for in prayer.

Matthew 21:22

구하고 행하라

마태복음 7:7-8

구하라 그리하면 너희에게 주실 것이요, 찾으라 그리하면 찾아낼 것이요, 문을 두드리라 그리하면 너희에게 열릴 것이니, 구하는 이마다 받을 것이요 찾는 이는 찾아낼 것이요 두드리는 이에게는 열릴 것이니라.

마태복음 7:7-8

Ask

Matthew 7:7-8

Ask and it will be given to you; seek and you will find; knock and the door will be opened to you. For everyone who asks receives; he who seeks finds; and to him who knocks, the door will be opened.

Matthew 7:7-8

은밀한 기도

마태복음 6:6
너는 기도할 때에 네 골방에 들어가 문을 닫고 은밀한 중에 계신 네 아버지께 기도하라. 은밀한 중에 보시는 네 아버지께서 갚으시리라.

마태복음 6:6

Praying Alone

Matthew 6:6

But when you pray, go into your room, close the door and pray to your Father, who is unseen. Then your Father, who sees what is done in secret, will reward you.

Matthew 6:6

은밀한 기도

마가복음 1:35
새벽 아직도 밝기 전에 예수께서 일어나 나가
한적한 곳으로 가사 거기서 기도하시더니
마가복음 1:35

Praying Alone

Mark 1:35

Very early in the morning, while it was still dark, Jesus got up, left the house and went off to a solitary place, where He prayed.

Mark 1:35

하나님의 응답

예레미야 33:3

너는 내게 부르짖으라. 내가 네게 응답하겠고 네가 알지 못하는 크고 은밀한 일을 네게 보이리라.

예레미야 33:3

God's Answer

Jeremiah 33:3
Call to Me and I will answer you and tell you great and unsearchable things you do not know.

Jeremiah 33:3

하나님의 응답

에베소서 3:20
우리 가운데서 역사하시는 능력대로 우리가 구하거나 생각하는 모든 것에 더 넘치도록 능히 하실 이에게

에베소서 3:20

God's Answer

Ephesians 3:20
Now to Him who is able to do immeasurably more than all we ask or imagine, according to His power that is at work within us.

Ephesians 3:20

그의 뜻대로 기도함

요한일서 5:14-15
그를 향하여 우리가 가진 바 담대함이 이것이니 그의 뜻대로 무엇을 구하면 들으심이라. 우리가 무엇이든지 구하는 바를 들으시는 줄을 안즉 우리가 그에게 구한 그것을 얻은 줄을 또한 아느니라.

요한일서 5:14-15

Pray in His Will

1 John 5:14-15

This is the confidence we have in approaching God: that if we ask anything according to His will, He hears us. And if we know that He hears us – whatever we ask – we know that we have what we asked of Him.

1 John 5:14-15

그의 뜻대로 기도함

데살로니가전서 5:17-18

쉬지 말고 기도하라. 범사에 감사하라. 이것이 그리스도 예수 안에서 너희를 향하신 하나님의 뜻이니라.

데살로니가전서 5:17-18

Pray in His Will

1 Thessalonians 5:17-18

Pray continually; give thanks in all circumstances, for this is God's will for you in Christ Jesus.

1 Thessalonians 5:17-18

중보의 기도

사무엘상 12:23
나는 너희를 위하여 기도하기를 쉬는 죄를 여호와 앞에 결단코 범하지 아니하고 선하고 의로운 길을 너희에게 가르칠 것인즉

사무엘상 12:23

Intercessory Prayer

1 Samuel 12:23

As for me, far be it from me that I should sin against the Lord by failing to pray for you. And I will teach you the way that is good and right.

1 Samuel 12:23

중보의 기도

마태복음 9:37-38
이에 제자들에게 이르시되 추수할 것은 많되 일꾼이 적으니 그러므로 추수하는 주인에게 청하여 추수할 일꾼들을 보내 주소서 하라 하시니라.

마태복음 9:37-38

Intercessory Prayer

Matthew 9:37-38

Then He said to His disciples, "The harvest is plentiful but the workers are few. Ask the Lord of the harvest, therefore, to send out workers into His harvest field."

Matthew 9:37-38

찬양

히브리서 13:15
그러므로 우리는 예수로 말미암아 항상 찬송의 제사를 하나님께 드리자. 이는 그 이름을 증언하는 입술의 열매니라.

히브리서 13:15

Praise

Hebrews 13:15

Through Jesus, therefore, let us continually offer to God a sacrifice of praise – the fruit of lips that confess His name.

Hebrews 13:15

찬양

시편 146:1-2
할렐루야 내 영혼아 여호와를 찬양하라. 나의 생전에 여호와를 찬양하며 나의 평생에 내 하나님을 찬송하리로다.

시편 146:1-2

Praise

Psalm 146:1-2

Praise the Lord. Praise the Lord, O my soul. I will praise the Lord all my life; I will sing praise to my God as long as I live.

Psalm 146:1-2

3. 기도

1) 구하고 행하라	마 21:22	마 7:7-8
2) 은밀한 기도	마 6:6	막 1:35
3) 하나님의 응답	렘 33:3	엡 3:20
4) 그의 뜻대로 기도함	요일 5:14-15	살전 5:17-18
5) 중보의 기도	삼상 12:23	마 9:37-38
6) 찬양	히 13:15	시 146:1-2

NIV

series 4

Walking in Victory

네비게이토 출판사
http://navpress.co.kr

Printed in Korea
값 2,500원

9 788937 503795